Mise en page : Karine Benoit
ISBN : 2-07-054732-9
Production & © Rainbow Grafics Intl Baronian Books
63, rue Charles-Legrelle, 1040 Bruxelles, Belgique
Tous droits réservés
© Éditions Gallimard Jeunesse 2001, pour l'édition française
Numéro d'édition : 02259
Loi n° 49-956 du 16 juillet 1949
sur les publications destinées à la jeunesse
Dépôt légal : septembre 2001
Imprimé en Belgique

Pour toujours

ÉCRIT PAR JEAN-BAPTISTE BARONIAN
ILLUSTRÉ PAR NORIS KERN

GALLIMARD JEUNESSE

Polo, le petit ours polaire,
se sent tout triste.
Il trouve que son papa et sa maman
ne s'occupent plus de lui.
Et il se demande pourquoi.

En se promenant sur la banquise,
l'ourson aperçoit un attroupement au loin.
Il s'approche à petits pas.

Polo reconnaît ses amis : Michel le caribou,
Victor le petit loup blanc, Félicien le petit phoque
et Pinpin le petit pingouin.
Tous quatre commentent leur pêche matinale.

– Je n'ai jamais attrapé
autant de poissons à la fois,
dit Pinpin.

– Moi non plus,
dit Victor. J'ai eu beaucoup
de chance aujourd'hui.

Félicien se tourne vers Polo.
– Tu ne dis rien, Polo. Tu as l'air bien soucieux.
– Oui, tu as l'air tout triste, ajoute Michel. Tu peux
tout nous raconter, nous sommes tes amis.
Le petit ours hésite puis finit par se confier.

– Je ne sais pas au juste ce qui se passe.
J'ai l'impression que ma maman et mon papa
ne font plus du tout attention à moi.

– Que dis-tu là ? s'étonne Pinpin.
Peut-être n'as-tu pas été gentil avec tes parents ?
Peut-être as-tu fait des bêtises ?
– Ce doit être ça, continue Félicien. Moi,
quand je ne suis pas gentil, je sens bien que je fais
de la peine à mes parents.

– Je ne me souviens pas d'avoir été méchant,
répond Polo.

Des cris joyeux s'élèvent tout à coup.
– Mes frères et mes sœurs m'appellent, dit Pinpin.
Notre maman nous attend. Au revoir !

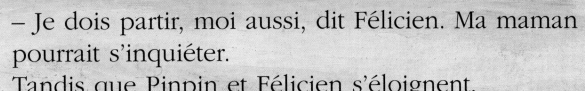

– Je dois partir, moi aussi, dit Félicien. Ma maman
pourrait s'inquiéter.
Tandis que Pinpin et Félicien s'éloignent,
Victor demande à Polo :
– Au fait, j'y songe. As-tu regardé le ventre
de ta maman ces derniers temps ?

– Le ventre de ma maman ? répète
Polo en ouvrant de grands yeux.
– Tu sais, dit Victor, il y a quelque temps,
moi aussi j'ai cru que mes parents me boudaient.

Je me trompais : en fait, maman avait dans son ventre
mon petit frère et ma petite sœur et c'est une chose
à laquelle elle pensait beaucoup.
Ta famille va certainement s'agrandir.
Tu peux être content. C'est une nouvelle fantastique !

Intrigué par les paroles de son ami,
Polo retourne chez lui. Sa maman et son papa
se reposent sur la neige, serrés l'un contre l'autre.
Le petit ours s'approche d'eux sans faire de bruit.
En observant bien sa maman, il remarque
que son ventre s'est arrondi.

Soudain, il entend la voix de sa maman.
– Que fais-tu, Polo ? Pourquoi restes-tu à l'écart
à nous regarder ainsi ?

– Je ne voudrais pas vous déranger, répond
l'ourson. Je ne voudrais pas te déranger, Maman,
ni déranger ton bébé…
– Tu ne nous déranges jamais, sourit la maman
de Polo.

– Viens contre moi écouter battre le petit cœur
du bébé. Quand il viendra au monde,
il aura aussi besoin de toi. Ne crains rien, Polo.
Tu sais qu'une maman aime chacun de ses enfants
pour toujours.